Apreciados amigos y familiares de los nu

Bienvenidos a la serie Lector de Scholastic. Nos hemos basado en los más de noventa años de experiencia que tenemos trabajando con maestros, padres de familia y niños para crear este programa, que está diseñado para que se corresponda con los intereses y las destrezas de su hijo o hija. Cada libro de la serie Lector de Scholastic está diseñado para apoyar el esfuerzo que su hijo o hija hace para aprender a leer.

- Lector Primerizo
- Preescolar a Kindergarten
- El alfabeto
- Primeras palabras

- Lector Principiante
- Preescolar a 1
- Palabras conocidas
- Palabras para pronunciar
- Oraciones sencillas

- Lector en Desarrollo
- Grados 1 a 2
- Vocabulario nuevo
- Oraciones más largas

- Lector Adelantado
- Grados 1 a 3
- Lectura de entretención y aprendizaje

Si visita www.scholastic.com, encontrará ideas sobre cómo compartir libros con su pequeño. ¡Espero que disfrute ayudando a su hijo o hija a aprender a leer y a amar la lectura!

¡Feliz lectura!

—Francie Alexander
Directora Académica
Scholastic Inc.

A Robin y Leo
—J.M.

This book was originally published in English as *May I Please Have a Cookie?*

Translated by J.P. Lombana

ISBN 978-0-545-70299-7

13 12 11 10 9 8 7 6 5 4 3 2 1 14 15 16 17 18 19/0

Printed in the U.S.A. 40

First Spanish printing, September 2014

¿Me puedes dar una galleta, por favor?

Jennifer E. Morris

SCHOLASTIC INC.

La mamá de Alfie estaba horneando galletas.

A Alfie le encantaban las galletas.

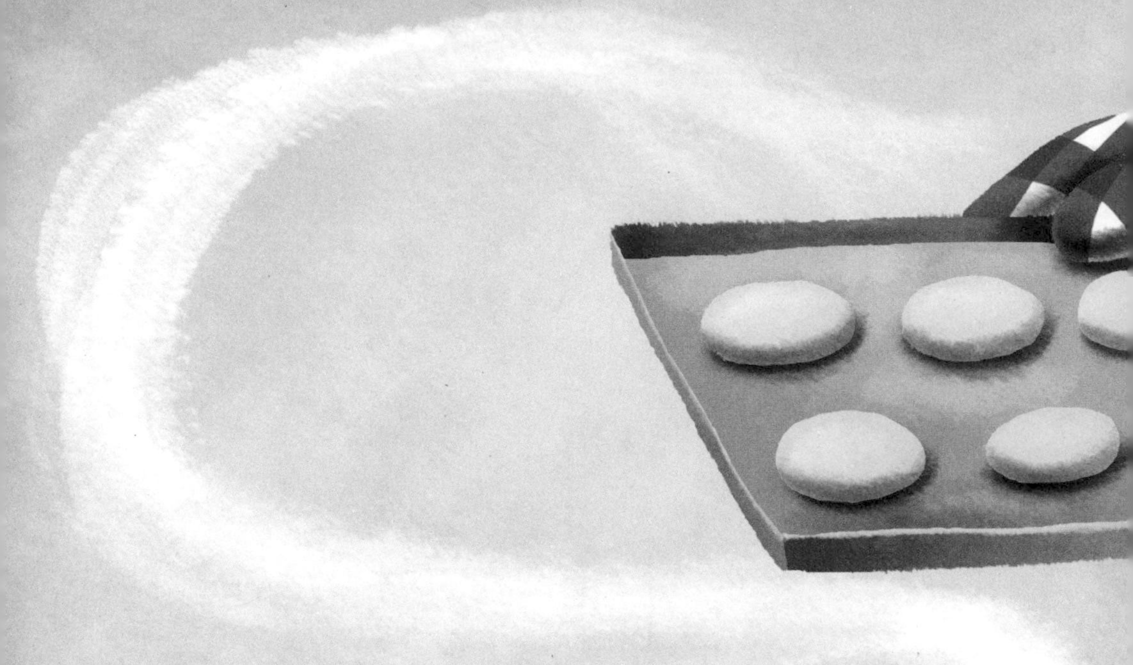

Le encantaba oler galletas.

Le encantaba mirar galletas.

Pero más que nada, le encantaba comer galletas.

—Así no, Alfie —dijo su mamá—.
¿Puedes pensar en una mejor
manera de que te dé una galleta?

Alfie pensó

y pensó

y pensó.

Hasta que tuvo una idea.

Encontró un abrigo grande
y un sombrero grande.

—Quiero una galleta —dijo Alfie con una voz profunda, de grande.

¡Uff!

—No, Alfie —dijo su mamá—.
Piensa en una mejor manera
de que te dé una galleta.

Alfie tuvo otra idea.

Salió al patio.

Su mamá estaba decorando

las galletas.

Entonces vio algo.

—¡Baja de ahí, Alfie!

—gritó su mamá.

—Y piensa en una mejor
manera de que te dé
una galleta —repitió.

Alfie tuvo otra idea. Fue a su habitación y sacó papel.

Cortó y coloreó. Al poco rato,

Alfie tenía sus propias galletas.

Pero todavía quería una
galleta de verdad.

Comenzó a llorar.

—Tus galletas se ven ricas
—dijo su mamá abrazándolo—.
¿Me puedes dar una, por favor?

En ese momento, Alfie tuvo la mejor idea de todas.

—Mamá —dijo—, ¿me puedes dar una galleta, por favor?

—Sí, claro, Alfie —dijo su mamá.

—Gracias —dijo Alfie.

—De nada —dijo su mamá.

Galletas